Crúibín

Liam Prút

Maisithe ag Bernie Prendergast

CLÓ MHAIGH EO

Môin Mhór

Bhí capall breac ann uair. Staigín ab ainm dó.
Bhí sé beo bocht ach bhí sé sona sásta.
Ní raibh aige ach péire amháin stocaí bána.
Chaith sé na stocaí bána sin ar na cosa tosaigh i gcónaí.
Bhí Staigín ina chónaí ar fheirm ar an Móin Mhór. Bhí stábla ceann tuí dhá urlár aige féin agus ag Láirín.
Bhí tithe beaga eile i gclós na feirme.

Bhí searrach acu a bhí chomh dubh leis na sméara dubha.
Crúibín an t-ainm a bhí air.
Bhí an searrach sé mhí d'aois.
Bhí an geimhreadh ann agus bhí sneachta ar an talamh, ar dhíon an stábla agus ar na crainn arda ar fud na feirme. Shíl Crúibín go raibh díon nua - díon ceann sneachta - ar na tithe feirme go léir.

Nuair a bhí sé a hocht a chlog tráthnóna dúirt Láirín:

"Téigh a chodladh anois, a Chrúibín. Cuirfidh mé pluid anuas ort ar ball agus beidh tú te teolaí ansin. Luigh síos go deas socair agus sín amach do chosa mar a dhéanaim féin."

"Tá go maith," arsa Crúibín.

Ach le fírinne, ní raibh Crúibín ag éisteacht.

In áit dul a chodladh, is amhlaidh a rith sé amach an doras chun bheith ag súgradh sa sneachta gan fhios dá mháthair.

Thaitin an sneachta leis. Ní fhaca sé a leithéid riamh cheana.

Shíl a mháthair go raibh sé ina chodladh go sámh.

Ach bhí sí gnóthach agus ní raibh am aici féachaint air.

Bhí sí ag fanacht go mbeadh nóiméad aici.

D'ardaigh sí a ceann agus chuir sí glaoch air.

Bhí an oíche ciúin lasmuigh.

Chuala an capaillín a mháthair agus é amuigh sa sneachta…

D'fhéach sé isteach an fhuinneog.

Bhí a droim leis an doras ag Láirín.

Rinne Crúibín seitreach amhail is dá mbeadh sé thuas staighre.

"Tá go maith, a Mhamaí," a dúirt sé.

Ach is amhlaidh a thug sé léim as a chorp isteach sa phuiteach gur bhain sé na ceithre chrúb den talamh in éineacht.

Chríochnaigh an capaillín ar a bholg sa lochán salach.

Bhí sé dubh dubh.

D'éirigh sé. As go brách leis timpeall na páirce go dtí go raibh sé clúdaithe le calóga boga bána sneachta.

Stad sé.

Chas sé timpeall.

Tháinig sé ar sodar chun an tí.

Bhí sé an-fhuar.

D'fhéach sé isteach an fhuinneog. Chonaic sé eireaball Láirín ag luascadh agus chonaic sé í ag ithe tornapa. D'éalaigh sé isteach an doras agus in airde staighre leis.

Nuair a chonaic Láirín an capaillín bán shíl sí go raibh taibhse feicthe aici. Rinne sí seitreach ghearr neirbhíseach.
Bhuail faitíos í agus suas léi ar a cosa deiridh,
a ceann go hard agus a moing ruadhonn á casadh siar is aniar aici.
Bhí Staigín ag réiteach coirce don bhricfeasta roimh dhul a chodladh dó. Tháinig sé go mall as cúl an stábla.
"Cad tá ort, a Láirín?" ar seisean.
"Cad tá cearr leat?"

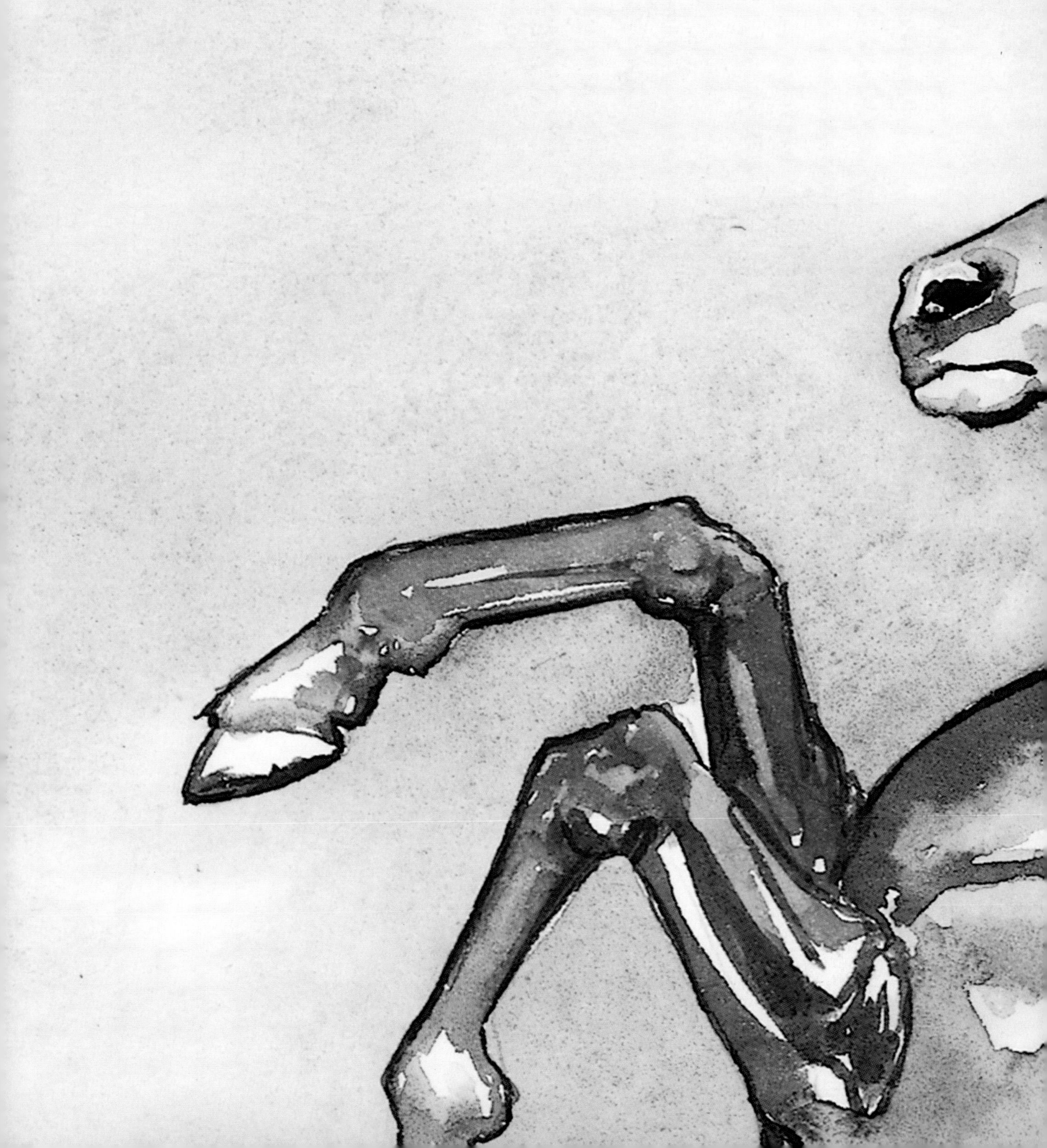

Ní raibh Láirín in ann a béal a oscailt leis an eagla
a bhí uirthi. Ar ball beag tháinig sí chuici féin agus
tháinig an chaint chuici arís.
"Taibhse!" an t-aon fhocal amháin a d'éirigh léi a rá.
"Huth!" Taibhse! Ní fheicim..."
D'fhéach sé thart sa stábla agus dhá chluas air ag éisteacht.
Leis sin chuala sé an leaba ag gíoscadh thuas staighre.
"Cá bhfuil Crúibín?" a deir sé.
"Chuir mé Crúibín a chodladh fiche nóiméad ó shin.
Tá súil agam nach rachaidh an taibhse...!"
"An bhfuil tú cinnte go ndeachaigh Crúibín a chodladh nuair a
dúirt tú leis é?" arsa Staigín.
"Chuaigh," a deir Láirín.
"Ach gabh isteach agus féach air tú féin."

Chuaigh Staigín in airde staighre go mall tromchosach.
D'fhéach sé anonn ar a aon mhac dílis féin.
Bhí an leaba fliuch báite agus bhí dath bán na seanaoise
ar mhoing an chapaillín.
"Níl aon mhac bán agamsa," a deir Staigín.

Thrup thrap sé anuas an staighre arís.
"Níl aon mhac bán agamsa," a deir sé le Láirín.
"Tá an leaba fliuch báite ag an seanchapall beag salach
atá thuas ansin."
Thuig Láirín láithreach cad a bhí ar siúl.
"Féach amach an fhuinneog, a Staigín," a deir sí.
"An bhfeiceann tú rian na gcrúb sa sneachta?"
"Tá an sneachta bán," arsa Staigín agus rinne sé seitreach os íseal.

"Tá. Glaoigh ar Chrúibín," arsa Láirín, "agus abair
leis teacht anseo."
Tháinig Crúibín isteach chucu agus bhí sé ag siúl go mall costrom
díreach mar a shiúil a athair cúpla nóiméad roimhe sin.
Ach bhí Crúibín beagán beag níos moille fós.
"Anois, féach an taibhse!" arsa Láirín.
Bhuail sí buille dá heireaball fada ruadhonn ar a
mhoing bhán.
Thit an sneachta anuas ar an urlár.

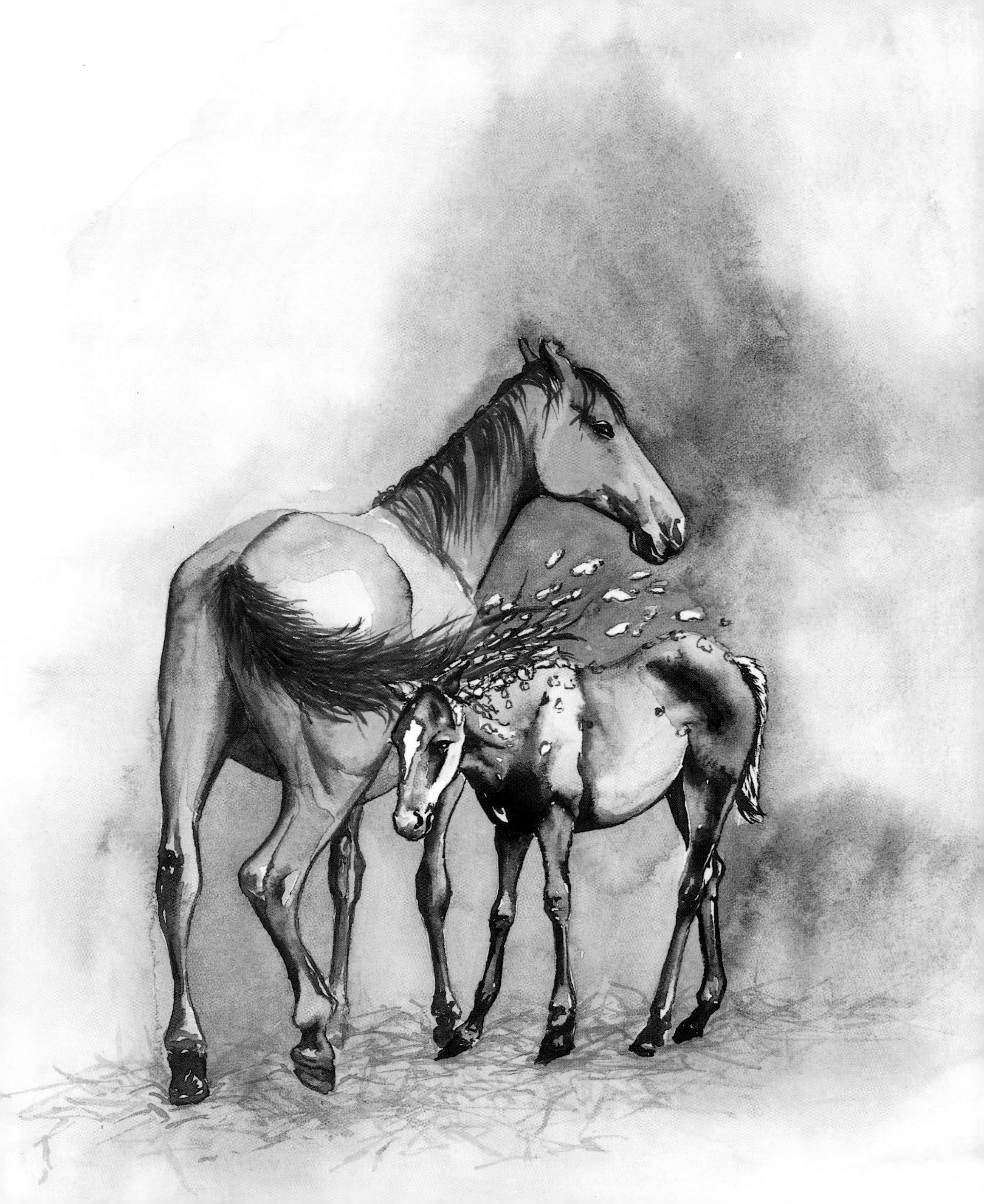

Bhí Crúibín ina sheasamh os comhair na beirte acu agus é níos duibhe ná an lá a rugadh é.

"Gread leat as sin go dtí do leaba," arsa Staigín, go crosta mar dhóigh dhe.

D'iompaigh Crúibín thart.

"Ba mhaith liom tamall a chaitheamh ag súgradh sa sneachta," a deir sé.

"Féach ort féin sa tobán uisce ag an doras,"
arsa a mháthair.

"Imigh leat go beo."

D'imigh sé leis go maolchluasach.

An mhaidin dár gcionn bhí poll dubh sa phluid agus bhí crúba
tosaigh an chapaillín i bhfostú sna héadaí leapa.
Ní bhfuair Crúibín aon choirce dá bhricfeasta.
B'éigean dó a bheith sásta le greim féir faoi bhun an tsneachta.
Bhí a chuid fiacla ag díoscán leis an bhfuacht. Tar éis an
bhricfeasta ghlaoigh a mháthair isteach air agus labhair sí leis.
"Bí i do chapaillín maith feasta. Nach bhfuil a fhios agat go
gcuireann taibhsí faitíos ar chapaill agus ar dhaoine.
Téigh amach anois agus bí ag súgradh sa sneachta.
Agus bí cinnte gan dul isteach i lochán salach uisce arís."

D'imigh an capaillín leis go sásta.
Bhí sé ag pramsáil ar fud na bpáirceanna.
D'imigh Staigín agus Láirín i mbun a gcuid oibre.
Bhí siad sona sásta.

Agus bhí Crúibín ina chapaillín maith go ceann tamaill

An chéad chló: Cló Mhaigh Eo 2001
An dara cló: Cló Mhaigh Eo 2003

ISBN 1-8999-22-16-4

Foilsithe ag Cló Mhaigh Eo,
Clár Chlainne Mhuiris,
Co. Mhaigh Eo, Éire.
www.leabhar.com
Fón/Faics: 094 9371744

Dearadh: raydesign, Gaillimh. raydes@iol.ie
Clóbhuáilte in Éirinn ag Clódóirí Lurgan, Indreabhán, Co. na Gaillimhe

Faigheann Cló Mhaigh Eo cabhair ó Bhord na Leabhar Gaeilge